D0509829

CLAIRE BRETECHER

Les Frustrés

ISBN : 2 - 266 - 01930 - 9

A celui à qui je dois tout (1)

---

(1) *Ça ne coûte pas cher et ça fait plaisir à un tas de gens.*

J'ÉLÈVE MON ENFANT

LA GRANDE FILLE

BRETECHER

LA BOHÈME

... les gens dépensent beaucoup trop.
regarde par exemple moi j'étais
au Maroc pour le week-end
eh bien devine combien ça m'a coûté...

non mais dis
un chiffre....

hmm?

Cent soixante Francs
pas un rond de plus!

tu rigoles non?
rien qu'avec le
billet d'avion
et l'hôtel tu...

oui oui mais ça c'était
aux frais de la boîte
je te dis que moi, en tout
et pour tout, j'en ai eu
pour 160 Francs.

on se demande
ce que tu peux bien
foutre de ton
salaire..

catéchisme

je sais que ce n'est
pas de ta faute,
alors écoute-moi bien
Anna !

.. Cas typique ... victime
de la phallocratie ...
chauvinisme mâle ...
mythe de la virilité ...

aliénation mentale,
économique, affective ...
écrasement de la personnalité
complexe de castration ...

...temps de réagir... s'assumer... dire merde à Pierre... t'aiderai... n'es plus seule... sommes des milliers à lutter...

oui, tu as raison mais comment faire?... nous les femmes, nous sommes tout de même plus faibles...

Claire BRETÉCHER

elle est homogène au moins ta chaîne ?
elle est pas trop colorée ?
moi je la trouve bonne !
eh ben c'est le principal !... j'espère quand même que tu as pris une platine Schnouf y a pas mieux ! d'ailleurs c'est suisse...
attention... le taux de pleurage n'est que de 0,5 %...
ouais mais t'as un taux de rumble de moins 70 décibels !
...enfin moi je veux bien hein ! et qu'as-tu pris comme ampli ?
Youkaïdi...

BRETÉCHER

L'AMi D'ERNEST

j'aime énormément
Ernest Platkovski...

on ne peut pas lui en vouloir
d'être devenu ce qu'il est ...
vous savez, moi je le connais
depuis vingt ans

c'est un garçon qui a eu
une grosse revanche à prendre
il a eu des débuts difficiles

et puis Platkovski c'est un garçon qui a toujours eu des complexes physiques terribles, vous savez pourquoi il porte la barbe ?

parce qu'il n'a absolument pas de menton, ce qui s'appelle rien ! Ça a toujours été son problème

et bien entendu il y a vingt ans le père Lemercier n'admettait pas que ses employés portent la barbe ; ça rendait Ernest très malheureux de sorte qu'il était complètement retracté avec les femmes, on peut dire qu'il est pratiquement puceau..

...tout ce ne l'a pas empêché de faire la carrière que l'on sait et s'il est devenu d'une arrogance et d'une susceptibilité maladive c'est à cause de ce que je vous ai dit et aussi de tout ce que je passe sous silence

c'est pour ça que, quoi qu'il fasse j'aurai toujours une grande amitié pour Ernest...

BRETECHER

LA TÉLÉ

LES JEUNES LOUPS

BRETECHER

PENSÉES

NOËL 73

BETHLEEM 74

LA TÉLÉ

BREIZ ATAO

1920 année des lumières

tu sais, tous ces produits chim chimiques là... tous ces bruits de cancer... il n'y a pas de fumée sans feu ! t'as qu'à dire à Dédé de faire attention...

... moi à ta place

oh ben moi je l'ai pas
supporté du tout, c'était
hémorragie sur hémorragie...
et puis pourquoi ce serait
toujours à nous de souffrir,
t'as qu'à dire
à
Dédé...

BRETECHER

UN HOMME SIMPLE

C'est fou la simplicité de regard et l'espèce de BONTÉ qui émane de cet homme...

Tu comprends c'est lui qui a raison... Nous on vit comme des cons!

Tu vois, en lui parlant j'ai ressenti profondément que les barrières de classe sont en train de disparaître

BRÉTÉCHER

Mon cahier de résolutions

JE EST UN AUTRE

moi ce qui me tue
c'est d'être coincé comme ça
dans ma peau... je voudrais
tellement en sortir !
quelle angoisse !

exactement
comme moi

par exemple j'aimerais
savoir quel effet ça fait
d'être une femme... tiens
je voudrais être
à ta place...

tu te rends
pas compte !

moi je ne peux pas
me supporter ! Peux
même plus me voir
dans une glace !
j'ai envie que d'une chose
Etre quelqu'un d'autre

Ben oui, ce qui est affreux
c'est d'être seulement soi, quoi
c'est tellement limité...
tiens je voudrais être Lucien
Lemercier, lui il a une vie extra,
on peut être un sage hindou...

oui, moi je voudrais être
Gisèle Halimi, je me vois
très bien en Gisèle Halimi,
ou alors fermière...

ouais pas mal... moi
j'aimerais être Picasso,
remarque ce n'est plus
possible, il est mort.

le magazine du couple

tu sais que je ne peux pas supporter de voir les fourchettes posées les pointes en bas...
tu sais très bien que ça me donne des spasmes !
tu sais très bien que ce n'est pas une question de principe !... je t'ai déjà expliqué que mon père est parti avec une fourchette quand j'avais deux ans !

jeux et ris

bonjour
caca

bonjour
féfesse

c'est pas un peu fini non ?
de plus en plus déficients ces mômes !
ça leur passera...
SEMIOLOGIE DE LA SCATOLOGIE
LE CUNILINGUS SANS PEINE
BRETÉCHER

ECONOMIE

RÊVONS C'EST L'HEURE

monsieur Lemercier, vous êtes
patron d'une petite entreprise,
pouvez-vous nous expliquer
pourquoi vous avez voté
Giscard ?

j'ai voté Giscard parce que
je suis fabricant de chaises
et dans la chaise on est
de droite !

la maison Lemercier a été fondée
en 1885 par mon grand'père
et a connu jusqu'en mai 68
un florissement sans égal ...

en 68 la chaise a commencé
à décliner au profit
du coussin...

..car tous ces gauchistes là, tous
ces prétendus intellectuels, il ne
savent plus s'asseoir correctement,
ils se vautrent, monsieur !...
sur des divans, sur des tapis,
ou même par terre !... plus
aucune tenue

en 74 notre production a chu
de 60% par rapport à celle
de 67. Si la gauche prend
le pouvoir la chaise française
est foutue, monsieur !

merci monsieur lemercier...
nous nous tournons maintenant
vers monsieur Badebec, des entreprises
Badebec et Badebec Limited et nous
lui demandons : Pourquoi avez-vous
voté Mitterrand ?

j'ai voté Mitterrand
parce que je suis fabricant
de ceintures tribo-électriques
à chaleur irradiante...

... en effet, plus les gens s'assoient bas,
plus ils ont de mal à se relever,
plus ils attrapent des tours de reins
et plus la ceinture tribo-électrique
progresse !

LES POLITISÉS

Le cancre

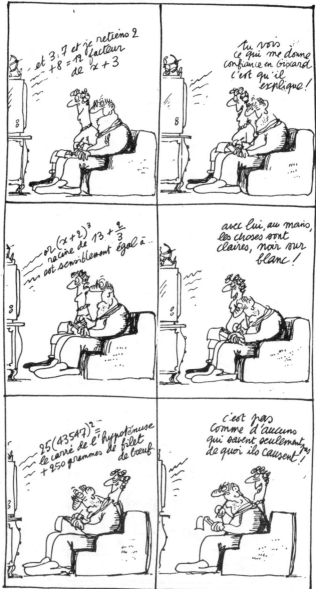

L'ÉGLISE DANS NOTRE TEMPS

MONSEIGNEUR MARTY, L'ÉGLISE CONNAÎT UNE PÉRIODE DIFFICILE ET VOUS AVEZ ACCEPTÉ DE RÉPONDRE AUX QUESTIONS CONCRÈTES QUE SE POSENT LES CHRÉTIENS DANS LE MONDE...

OUI !

QUELLE EST LA POSITION DE L'ÉGLISE FACE À LA CRISE DE LA FOI ?

C'EST UNE QUESTION TRÈS GRAVE... JE DIRAIS QU'IL N'Y A PAS CRISE MAIS MUTATION ET RECHERCHE D'UN DIALOGUE PLUS VRAI AVEC DIEU...

DANS UN ESPRIT PLUS ÉTROITEMENT ÉVANGÉLIQUE

MONSEIGNEUR MARTY L'ÉGLISE DOIT-ELLE AVOIR DES OPINIONS POLITIQUES ?

C'EST UNE VASTE QUESTION...
L'ÉGLISE SE DOIT DE PORTER
LA PAROLE À TRAVERS LE MONDE
DANS UN ESPRIT RESPONSABLE
ET DE CHERCHER JÉSUS-CHRIST
            À TRAVERS LES ÉVÉNEMENTS
                DANS UN CONTEXTE PLUS
                        FRATERNEL...

QUE PENSEZ-VOUS
DE LA SPÉCULATION IMMOBILIÈRE
PRATIQUÉE PAR
LES GENS
D'ÉGLISE ?
        C'EST UN PROBLÈME DÉLICAT
        QUI POSE DES CAS
            DE CONSCIENCE DÉLICATS,
        L'ÉVANGILE EST DIFFICILE
            À RÉALISER DANS
                    L'IMMOBILIER...

IL FAUT Y APPORTER
UN EFFORT DE COMPRÉHENSION
DANS UN ESPRIT ÉVANGÉLIQUE.

LE DIVORCE ?

C'EST UN PROBLÈME DOULOUREUX MAIS LA MISÉRICORDE DE DIEU EST INFINIE, TOUT DOIT ÊTRE FAIT DANS LA VOIE DE LA VÉRITÉ EN DIFFÉRENCIANT L'ESSENTIEL DU SECONDAIRE...

LE CÉLIBAT DES PRÊTRES? C'EST UN POINT DÉLICAT. DE DISPONIBILITÉ SACRAMENTELLE ET LA LUMIÈRE DOIT ÊTRE FAITE SUR LE SENS ÉVANGÉLIQUE DE LA VOCATION DANS UN CONTEXTE DE DIALOGUE...

L'ARMEMENT NUCLÉAIRE? IL FAUT INSCRIRE L'ARMEMENT NUCLÉAIRE DANS UN ESPRIT DE PAIX L'ÉGLISE DOIT APPORTER L'AMOUR AUX HOMMES À TRAVERS L'ÉVANGILE...

L'AVORTEMENT ?

C'EST UN PROBLÈME
DOULOUREUX...
L'ÉGLISE EST TOUJOURS CONTRE
DANS UN ESPRIT ÉVANGÉLIQUE...

DE TOUTES FAÇONS
NOUS SOMMES EN TRAIN
D'ORGANISER UN COLLOQUE
SUR DIEU À L'INSTITUT
CATHOLIQUE, CE QUI RÉSOUDRA
TOUS LES PROBLÈMES
DANS UN CONTEXTE
DE RÉFLEXION.

NOUS REMERCIONS
MONSEIGNEUR MARTY
D'AVOIR BIEN VOULU APPORTER
DES RÉPONSES PRÉCISES
QUANT À LA POSITION DE L'ÉGLISE
FACE AUX PROBLÈMES
DU MONDE MODERNE !

BRETÉCHER

LA GUEULE

Puis-je savoir
en quel honneur
tu fais la gueule ?

moi je fais la gueule !...
alors ça c'est assez extra !...
JE fais la gueule !

JE NE FAIS PAS LA GUEULE
C'EST TOI QUI FAIS LA GUEULE.
ARRÊTE UN PEU !

Bon, si ça te fait du bien
de hurler, alors
hurle ! qu'est-ce que
tu veux que je te dise...

voilà, voilà...
typique !
toujours le même
système... semer
la merde
pour le plaisir !

c'est ça
pas-y !
je connais
ce genre de
raisonnement
par cœur...

je regrette de
ne pas avoir de
magnétophone
sous la main
tiens !

Toi, tu regrettes
de ne pas avoir
de magnétophone
c'est merveilleux !

LES CRITIQUES

c'est très mauvais!
aucune distanciation, aucun brechtisme...
il y a complètement rupture
au plan de la mise en scène
par rapport au texte....

rien n'est intériorisé...
de plus c'est politiquement
assez suspect.... on verse
encore une fois dans le pire
poujadisme...
bref c'est du théâtre
à la française!
                        absolument..

BRETÉCHER

AU RISQUE DE SE PERDRE

encore heureux que le commissaire est un pote à moi !... bon !... après ça a été les journalistes ! je peux pas les encadrer ceux-là !
et ce matin voilà les mecs de l'évêché qui se pointent !... c'est pas beau ça ?
Faut faire toute la lumière qu'ils disent... je te jure !... Vaut mieux entendre ça que d'être sourd ma pauvre

remarque y a rien à dire
ils sont corrects et tout...
c'est pas la question !

seulement pendant ce temps-là
moi je perds des clients
et ça fait un drôle
de manque à gagner.

...alors je vais te dire un truc.
Paulo il l'a plutôt à la caille!
et dans ces cas-là qui est-ce
qui dérouille ? c'est encore Bib

Aussi faut se mettre à sa place à Paulo... avec les traites qui restent à raquer pour le Bar

Alors Paulo il m'a dit : écoute c'est pas compliqué ! à partir de maintenant du plus loin que t'en renifles un...

.. tu fais ni une ni deux, tu lui demandes son électrocardiogramme !

BRETÉCHER

LES PONTONNIERS

remarque, moi j'ai encore quatre jours à prendre mais je comptais les économiser pour mettre au bout de mes vacances d'hiver...

s'il faut se servir de ses jours même pour les ponts c'est un comble !

alors attends, attends, attends : l'Ascension, jeudi ! oui, bon !

oui, bon !

Ah ! le 1er Mai est un jeudi ouah ouah !

ouah !

BRETÉCHER

DRUGSTORE 74

j'espère que vous n'étiez pas au drugstore Saint-Germain l'autre dimanche...

Tais-toi, tais-toi!

Figure-toi que j'ai FAILLI y aller! On était justement du côté de l'Odéon... tu sais, chez Maria...

et alors je n'avais plus de cigarettes, alors je me dis: "bon, je vais aller au drugstore:

L'Amour de l'Art

Victor Gaspard
vous êtes un photographe
de pointe ;
Parlez-nous de
votre travail.

eh bien, en deux mots, mon propos
est d'immortaliser l'instant
dans la durée en contestant
constamment mes approches
dans leur structure de base,
bref, en mettant le plus de
signifiant possible dans
le signifié.

à l'aide d'un
appareil ?

mmouiiiii... enfin
ça c'est accessoire...

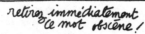

retirez immédiatement
ce mot obscène !

je disais,
n'est ce pas un peu paradoxal
dans la mesure où la photo
est justement un ART
de reproduction ?

c'est ça ! alors il faudrait
que mes beaux fantasmes
se vendent par liasses
comme si j'étais un
photographe du commun !

je ne vois pas pourquoi
n'importe quel ringard de
banlieue pourrait s'offrir
mes visions créatrices pour
des haricots alors qu'il y a
des gens qui ont du pognon
à foutre dans l'art.

OIR DE PARI

LA TOUR INFERNALE

le spectacle le plus fantastique

Comment as-tu trouvé?

Nul

Pourquoi?
c'est sans prétention,
il y a de l'action,
du suspense...

infect
navet

je ne peux pas supporter
les gens qui boudent
leur plaisir
par pur snobisme

tu permets
que j'aie une opinion
oui?

Pour ma part je ne vois aucun inconvénient à ce que tu t'identifies à une de ces mémés empotées en péplum
je te trouve extrêmement intelligent et de plus très très drôle
on va au cinéma pour se changer les idées résultat : on s'engueule une fois de plus.
alors qu'on se serait aussi bien engueulé devant la télé...
tiens, il y avait juste une place là et ce connard vient de me la piquer !
ça fait un moment qu'on tourne pour se garer. tu as l'intention d'y passer la nuit ?

C'est de ma faute s'il n'y a pas de place dans ce quartier pourri ?
Je te l'ai déjà dit il faut être tordu pour prendre la bagnole un vendredi soir
BRETEC

Mémé en a marre

les nègres sont noirs
les Chinois sont jaunes
les peaux-rouges sont rouges
et maintenant tais-toi
                    cinq minutes !

BRETÉCHER

MAMAN

BRETÉCHER

A COEUR PERDU

Alors il me dit : "Si je te vois tu penses bien que ce n'est pas pour te parler de ton âme ! quand est-ce qu'on couche ensemble ?"

J'étais embêtée alors je lui dis : "Écoute je suis embêtée parce qu'en ce moment je n'ai pas le temps..."

Alors il me dit : "Bravo, un argument comme ça il faut le trouver, enfin si je te vois c'est pas non plus pour ton cerveau, alors quand est-ce qu'on couche ?"

alors, je lui dis : "Écoute ça m'embête parce qu'en ce moment, justement, je suis fidèle..."

alors il me dit : "Ha ha, toutes pareilles les femmes libérées, vous me faites mal, tiens! quand il s'agit de faire des discours ça va toujours!... vous êtes encore plus coincées que vos grand'mères..."

..."le Lys dans la Vallée" ça a un peu vieilli! on vous explique pas ça au M.L.F.?"

alors moi je savais plus
quoi lui dire alors je lui dis:
"De toutes façons je suis
frigide."

alors il me dit: "Tiens, elles,
disent toutes ça en ce moment,
ça doit être le système défensif
dernier cri, en tous cas
même si c'est vrai...

...c'est tout simplement que
tu es mal baisée ma pauvre chérie!
alors tu préfères rester
toute ta vie
dans cet
état?...

sans compter que tu ferais bien
d'en profiter pendant qu'il y a
encore de la demande parce que
dans cinq-six ans c'est terminé
pour toi!"

tu comprends, il ne me plaît pas,
je ne peux pas le supporter,
mais ça n'est pas possible
de le lui dire, ça ne serait pas
gentil...

d'ailleurs
il ne me croirait pas!

BRETÉCHER

POUR AÏCHA

Encore l'avortement ?!
Mon Dieu ! je croyais ces histoires
réglées depuis longtemps !

oui oui ! maintenant, il y a
des organismes très bien
qui s'occupent
de tout...

justement Rosalinde,
je lis dans mon Monde
que l'un de ces organismes :
le M.L.A.C., a interrompu
les voyages organisés
en Hollande et en Angleterre...

Ce n'est pas trop tôt...
ce gaspillage de devises
devenait indécent

vous me faites marrer
Aymeric, par moments !...
et qu'est-ce que je vais faire
avec Aïcha, moi, maintenant ?

L'ŒIL DE MAURICE

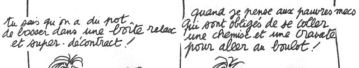

tu sais qu'on a du pot
de bosser dans une boîte relax
et super-décontract !

quand je pense aux pauvres mecs
qui sont obligés de se coller
une chemise et une cravate
pour aller au boulot !

ça me
ferait
mal !

il paraît qu'il y en a
qui sont mal notés
s'ils ont des cols roulés
c'est dingue !

arrête !

j'aime mieux te dire
qu'il faudrait me payer cher
pour que je me foute
en costard !

plutôt
crever !

tu nous vois
eh ?

tais-toi
je flippe
eh !

si on peut plus se saper
comme ça vous chante
moi j'appelle ça une atteinte
à la vie privée....

et pas qu'un peu !

DIVORCE

BRETÉCHER

LES RESCAPÉES

quand je vois comment
ma mère m'a élevée
je me dis que si je ne suis pas
schizophrène c'est un
véritable miracle...

tu as vu "Family life"?
eh bien chez moi
c'était dix fois
pire!

moi je suis
une injure à la face
de Bruno Bettelheim

ma mère a vraiment fait
tout ce qu'il fallait
pour que je sois autistique.

moi aussi

à un mois d'âge,
ma mère me mettait sur le pot
et elle m'attachait les mains
pour ne pas que
je suce
mon pouce...

ma mère estimait
qu'on ne doit jamais
prendre un enfant qui pleure
parce que ça lui donne
de mauvaises
habitudes...

mon père m'enfermait
sous l'escalier dans le placard
à balais pendant
des heures !

moi j'étais attachée
au pied de la table
avec un brin
de laine...

je n'ai pas eu l'ombre d'une information sexuelle !
information sexuelle, tu rigoles ?.. je me demande comment je ne me suis pas retrouvée hôtesse d'accueil à Beyrouth..
normalement on devrait être anormales !
BRETÉCHER

CLAIR FOYER

hello!

je passe en coup de vent
parce que j'ai un boulot
pas croyable je mène
une vraie vie de dingue...

.. mais je voulais voir
comment tu allais
ma pauvre choute...

... il est adorable
celui-là !

oui, il faut que j'aille
à Roissy chercher l'ambassadeur
du Bojo et pour aller à Roissy
c'est un bordel insensé
et après ça je dois me farcir
la conférence de presse...

et après il faut
que je trimballe la débile femme
de l'ambassadeur chez Yves
Saint-Laurent tu vois le genre!
le vrai boulot de con...

enfin faut bien gagner son bœuf
tiens je vais en Iran
la semaine prochaine... si tu as
besoin de tapis tu n'as qu'à
me le dire... dis donc, il est
de plus en plus adorable
ce mec...

BRETÊCHER

LES FOURMIS

BRETÉCHER

Guiguitte Bongiorno

mademoiselle Bongiorno
c'est pour la petite collecte
pour le départ en retraite
de monsieur Cerisier.

Combien
faut-il
donner ?

c'est laissé à la générosité
de chacun... pas moins
de 90 Frs...

... et il faut signer
la petite carte avec
nos vœux à tous...

mademoiselle Bongiorno
je ramasse les cotisations
pour les fiançailles
de Liliane

qui est
Liliane ?

PEAU D'ORANGE

* TEST DU CRAYON : PLACER UN CRAYON HORIZONTALEMENT SOUS LE SEIN,

S'IL RESTE COINCÉ C'EST MAUVAIS (NOTE À L'USAGE DES ATTARDÉES)

L'HOMME À PRINCIPES

Il y a des moments où je me sens incapable de continuer à vivre sur les ruines pourrissantes de cette civilisation de profit en contradiction constante avec mes opinions les plus sacrées!

Je refuse de boire ce café à cause de l'impérialisme américain qui pressure le Brésil!

Je refuse de porter de la laine alors que l'Australie refuse l'immigration des gens de couleur!

LE PETIT CHAT EST MORT

Maryvonne Poche
Sophie Baradec!

LES PURS

Pour "Les Petites Caresseuses"
j'avais un budget
de dix briques
en tout et
pour tout!

C'est pas compliqué...
faut compter trois jours
de tournage, remarque ça dépend
ça peut être quatre...
trois jours de montage
et je mixe
en 24 heures...

On tourne chez un copain
qu'a une propriété Louis XIII
en Sologne... tout ce qu'il demande
comme dédommagement
c'est d'être là!

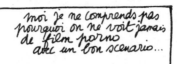

moi je ne comprends pas
pourquoi on ne voit jamais
de film porno
avec un bon scénario...

ouais!
un bon film
mais porno...

avec de l'humour
chais pas moi,
avec de belles images,
pourquoi pas?

ce serait pas
rentable

faut pas oublier
que la clientèle c'est à 90%
les travailleurs immigrés
or le travailleur immigré
la belle image
il s'en fout!

BRETÉCHER

LE THÉ À LA MENTHE

LA PLAGE

tu vois je suis déçue,
je pensais qu'ici
il se passerait plus de choses
au niveau de la
communication.

je pensais trouver
plus de contacts réels,
je veux dire des rapports
à la fois plus profonds
et plus libérés...

eh bien finalement
c'est toujours pareil,
les gens ne pensent
qu'à recevoir,
jamais à donner

moi je veux bien provoquer l'échange mais j'attends une réponse quoi, c'est normal...
seulement les gens s'enferment dans un système de défense insensé qui les conduit à adopter un comportement absolument démentiel
moi j'estime que des relations vraies impliquent un respect de l'Autre en tant que personne

c'est un cercle vicieux parce que moi, quand je flippe, j'ai besoin d'être sécurisée...
alors en toute honnêteté j'estime que le cinéma que tu fais pour me piquer Julien est légèrement sordide
BRETÉCHER

DÉFICIT

non mais sérieusemant, as-tu vu le prix des fringues ?
Fringues ?... j'n'ai même pas de quoi bouffer !
écoute, j'ai acheté un artichaut 3 FRS 50 ! 3 FRS 50 UN ARTICHAUT ! et ils les jettent sur la route par quintaux !... c'est quand même pas croyable !
et les bottes ? tu as vu le prix des bottes ?
Zouzou a un filon pour en avoir avec 50 %... il faut que j'l'appelle...

tais-toi je ne peux pas me payer le quart d'une botte...
et la viande ?
avec quoi peut-on remplacer les protéines ?
ben... tu fais cuire des haricots de soja pendant des heures, tu vois le genre
de toutes façons il faut que j'emprunte... je ne vois pas d'autre solution...
à partir de maintenant je fais mes robes moi-même.. c'est ce que fait Charlotte

avec ce que je vais avoir à rembourser je ne peux plus m'offrir 1 centimètre de satin fermière pendant 1 an...

je ne sais pas comment on tient. Ça doit être l'instinct de conservation...

si encore j'avais envie de me remettre au boulot mais alors vraiment pas !

autrefois à la rentrée j'avais une espèce d'enthousiasme fallacieux...

les vacances c'est vraiment plus possible !... l'an prochain je m'organise autrement...

BRETÉCHER

LES PIONNIERS

Au Nouvel Observateur
nous avons mené
des combats très durs...

nous nous sommes battus
contre la spéculation immobilière
et la concussion
à l'intérieur
de l'U.D.R.

nous avons
violemment attaqué
le sionisme...

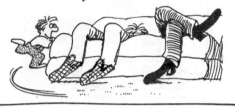

nous avons lutté
pour Mitterrand
et défendu le programme commun
et l'union
de la gauche...

nous avons
toujours combattu
le poujadisme culturel
et l'abrutisation des travailleurs
par les media...

nous avons ouvert le feu
contre la loi de 1920
et ses conséquences...

nous nous battons
contre le système
médical capitaliste
et les laboratoires...

alors, que nous méritions
des critiques de détail, je veux bien,
mais personne ne peut
nous taxer de manque
d'agressivité !

Renaud mon poussin
va jouer plus loin
sinon je vais
me fâcher.

BRETÉCHER

le contestataire

hier j'ai eu la douleur
de voir mon copain Viaud
qui est un pilier du P.C.
m'offrir du sucre de droite

toutefois ne mettons pas en doute
la probité politique de Viaud
car il faut considérer qu'au niveau
du prix de l'épicerie
l'ouvrier P3 reste inhibé
malgré tout

il est joli ton sucrier Ming,
tu l'as trouvé où ?

aux
Puces

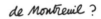

de Montreuil ?

non, Montreuil c'est pourri,
on va à Bicêtre
ou à
Vanves

Sucre de gauche
dans sucrier des puces de Vanves
on sent là une réflexion authentique.
Bon allez salut et merci
pour le café

l'underground

On a bossé huit mois...
moi je portais le matériel...
et puis ça a foiré...
après y a eu les montages
audio-visuels underground
sur le Chili...

Chris et les autres.
quand i s'agit de jacter
i sont un peu là, mais pour
en foutre une rame
c'est une autre paire de manche
en fin de compte
tout a foiré...

Après ça Chris a connu Kurt
et on s'est mis à faire
ce canard de bandes dessinées
underground vachement marginal
avec un circuit de distribution
parallèle...

jme rends compte
que ça va faire deux ans
que je me défonce pour
des clopinettes et en plus
on me prend pour un con!

alors je vais te dire un truc:
l'underground: terminé!
marre! veux plus le savoir!

chais pas encore
egzactement ce que
je vais faire...

j'ai un pote
qui bosse au métro
i' me dit que c'est peinard..

BRETECHER

L'ANNÉE DE LA FEMME

(1) Fruit du manglier

(2) Plante de l'Inde (famille des Zingibéracées)

(3) Champignon de la famille des Agaricacées

En ce siècle je fli-ippe
C'est la faute à Œdi-ipe
Ô gué vive la ro-ose
J'ai ma vieille névro-ose
Laissez-moi m'éclater ô gué
Je suis frustré (e)

Refrain : BEUH

C'est la faute au systè-ème
Si personne ne m'ai-aime
Ô gué vive le sequoïa
Je cours à la paranoïa
Laissez-moi délirer ô gué
Je suis frustré(e)

Au refrain –

Le sexe, le sexe, le se-exe
Le sexe m'ensorse-exe
Ô gué vive la man-angle *(1)*
Ma libido m'étran-angle
Laissez-moi sexister ô gué
Je suis frustré(e)

Au refrain –

La société m'oppri-ime
Mon prochain me dépri-ime
Ô gué vive le curcuma *(2)*
Je n'aime que le cinéma
Laissez-moi phantasmer ô gué
Je suis frustré(e)

Au refrain

Cette époque est immon-onde
Sur la terre et sur l'on-onde
Ô gué vive l'ompha-asse *(3)*
Ici-bas c'est la ta-asse
Ah que vienne le pied ô gué
Je suis frustré(e)

Au refrain

IMPRIMÉ EN FRANCE PAR BRODARD ET TAUPIN
Usine de La Flèche (Sarthe), le 20-11-1987.
1202-5 - Nᵒ d'Éditeur 2373, mars 1987.

PRESSES POCKET - 8, rue Garancière - 75006 Paris
Tél. 46.34.12.80